Олеся Жукова

АЗБУКА
С КРУПНЫМИ БУКВАМИ
ДЛЯ МАЛЫШЕЙ

Москва
АСТ

УДК 37.01
ББК 74.902
Ж 86

Макет продготовлен редакцией  АСТРЕЛЬ СПб

Художники: *А. Кузнецова, О. Наумова, О. Серебрякова*

Жукова, Олеся Станиславовна

Ж 86   Азбука с крупными буквами для малышей / Олеся Жукова. – Москва: АСТ, 2014. – 95 с.: ил.

Эта «Азбука» – незаменимый помощник для родителей и педагогов, которые хотят помочь своему малышу поскорее научиться читать. Крупные буквы, веселые картинки, простые, занимательные рассказы превратят уроки чтения в любимую игру.

УДК 37.01
ББК 74.902

ISBN 978-5-17-082424-3

Дорогие родители и педагоги!

«Азбука», которую вы держите в руках, позволит вам не только научить малыша читать за короткий срок, но и сделать это так же естественно и просто, как если бы вы учили ребёнка говорить.

Когда взрослые показывают малышу предмет, они называют его: «Это машинка, би-би». И спустя какое-то время малыш сам начинает говорить: «Би-би!», показывая на машину. Точно так же можно показывать и называть ребёнку написанное слово, и спустя какое-то время, он начнёт его узнавать.

Современные малыши повсеместно видят письменные тексты — вывески, этикетки, рекламу. Часто дети удивляют тем, что «прочитывают» знакомые слова на незнакомых зданиях или предметах. А происходит это потому, что ребёнок, не зная букв, запоминает написание целого слова, как иероглиф. Эта особенность зрительного восприятия малышей легла в основу метода глобального чтения. И именно этот приём был использован нами в первом разделе «Азбуки» — «Учимся читать целыми словами». Достоинство этого метода в том, что он позволяет ребёнку запомнить большое количество слов и подготавливает его к последующему обучению чтению по слогам. При ежедневных занятиях ребёнок за два месяца может запомнить, в среднем, около 100 слов. Только не торопитесь выучить с ребёнком сразу много слов (не более 5 — 6 за один «урок»).

Прежде чем приступить к «урокам», вырежьте из приложения карточки со словами. Откройте книгу. Положите карточки на стол. Возьмите карточку, покажите ребёнку слово и произнесите: «Школа». Попросите малыша найти такое же слово на страничке книги и положить карточку под соответствующую картинку. После того как ребёнок выучит все слова, поиграйте с ним в игру на стр. 6,7. Пусть он прочтёт все вывески на зданиях города. Используя карточки, попросите малыша закончить предложения на с. 14 — 17 подходящими по смыслу словами. Прочтите вместе с ним рассказ на стр. 18,19. Предупредите его, что вы будете читать слова, написанные обычным шрифтом, а он будет называть картинки и читать те слова, которые выделены жирным шрифтом.

Во втором разделе «Азбуки»: «Читаем по складам» малыш познакомится с другим способом чтения. Буквы и слоги, предназначенные для прочтения детьми, выделены крупным шрифтом. Гласные написаны красным цветом. Буквы, обозначающие твёрдые согласные звуки — синим, а мягкие согласные звуки — зелёным цветом. Склад обозначен дугой. Читать склад (согласную и гласную) нужно слитно, открывая рот один раз в момент произнесения гласной. Точка под буквой обозначает короткое произнесение звука. Например, слово «МАМА» необходимо прочитать следующим образом: «МА-МА», слово «КОТ» будет читаться: «КО-Т». А слово с сочетанием согласных букв, которое обычно затрудняет чтение малыша, будет звучать так: «С-ТО-Л».

В нашей «Азбуке» буквы представлены не в традиционной последовательности, а в порядке появления звуков при освоении ребёнком родного языка. Буквы, передающие звуки сложной артикуляции (ш, ж, щ, ч, ц, р, л), появляются позже.

Чтобы добиться успеха, необходимо следовать определённым правилам: называя букву, произносите звук, а не название буквы, не [бэ], а [б], не [пэ], а [п].

Обращайте внимание ребёнка на действия забавных персонажей: мальчика и кота. Используя яркие ассоциативные образы, вы поможете ребёнку быстрее запомнить, как звучит буква.

Для того чтобы ребёнок лучше запомнил написание букв, конструируйте их во время занятий. Делайте буквы из спичек, палочек, пуговиц, проволочек, верёвочек, камешков, лепите из пластилина или солёного теста.

То, что взрослому кажется бесспорным, малышу необходимо объяснить. Читаем слова слева – направо. Закрывайте белым листком бумаги на странице те слова, которые отвлекают внимание ребёнка.

Не ставьте срока, в течение которого вы хотите научить малыша читать. У каждого ребёнка — свой индивидуальный темп развития и обучения. Наберитесь терпения и избегайте критики и отрицательных оценок. Помните, что занятия должны доставлять малышу удовольствие. Детям очень нравится учиться! И такую возможность упускать нельзя.

КАФЕ

ШКОЛА

ЗООПАРК

ВОКЗАЛ

ТЕАТР

МУЗЕЙ

ПАРК

БАССЕЙН

МАГАЗИН

ЗАВОД

СТАДИОН

РЫНОК

Что есть в нашем городе?

ТЕАТР

ЗООПАРК

БИБЛИОТЕКА

ПАРК

ВОКЗАЛ

6

Что есть в нашем городе?

ШКОЛА

МАГАЗИН

БАССЕЙН

ДЕТСКИЙ САД

ПОЛИКЛИНИКА

7

СУП

КОТ

СОК

КИТ

МЁД

ЖУК

БЫК

МЯЧ

СОМ

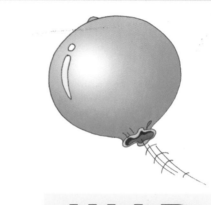

ШАР

РАК

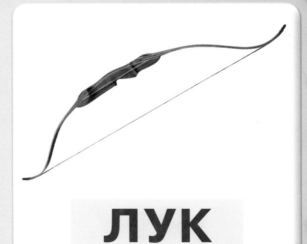

ЛУК

МАМА

РЫБА

ПАПА

КОЗА

ДЕТИ

ЛИСА

ЗИМА

КОСЫ

ШУБА

РУКИ

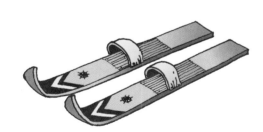

ЛЫЖИ

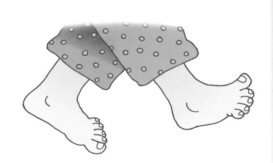

НОГИ

СИДИТ

БЕЖИТ

СТОИТ

ЕДЕТ

ИДЁТ

ЛЕТИТ

СПИТ

ЕСТ

ИГРАЕТ

ПЬЁТ

ЧИТАЕТ

СТРОИТ

А Б В Г Д Е Ё Ж З И Й К Л М Н О

Мишка любит

Лена ест

На дереве сидит

В море живёт

В банке плавает

Мальчик испачкал

У Пети новые

За деревом спряталась

В берлоге медведь

Лев в клетке

Кот гулять

Ворона в гнездо

Саша с мишкой

Даша книгу

Игорь банан

Клоун на руках

Наступила **ЗИМА.**

 **ДУЕТ,**  **ИДЁТ.**

Попрятались звери, рыбы и .

В дупле **СИДИТ.**

В реке под корягой  **ЛЕЖИТ.**

В берлоге  **СПИТ.**

Снится мишке сон.

Не **СУП,** не **СОК,** а сладкий .

На ветке **СИДИТ.**

От холода дрожит.

А дети **ЛЮБЯТ.**

Оля мороза не боится. У тёплая

ШУБА,  и  .

Оля лепит  .

У новые **ЛЫЖИ.**

Вова на **ЕДЕТ,**

зайка в  **СИДИТ,**

на него глядит.

А **КОТ** Мурзик на окошке ,

 ЧИТАЕТ, приметы изучает.

КОТ в клубок — мороз на порог.

КОТ крепко **СПИТ** — к теплу.

Не пугай, **ЗИМА**, придёт  !

Аа

А-А-А

☀ Вылепи большую букву из пластилина, а маленькие — сделай из подручных материалов.

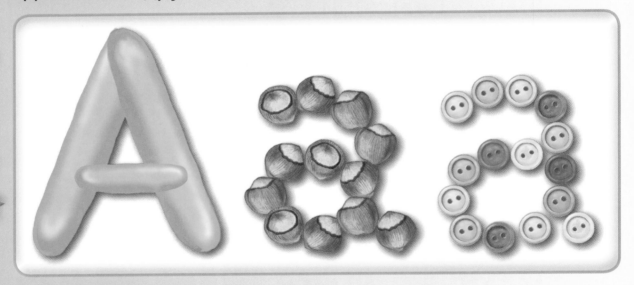

☺ Назови красную букву в словах.

АИСТ **А**ЙСБЕРГ **А**РКА

А а А а А а

☺ Прочти выделенные слова.

У кота молоко убежало:

«А-а-а!»

Утюг горячий:

«А-а-а!»

Кот переспрашивает мальчика:

«А-а-а?»

Оо

О-О-О

☺ Вылепи большую букву из пластилина, а маленькие — сделай из подручных материалов.

☺ Назови красную букву в словах.

ОСТРОВ **ОБЛАКО** **ОСЫ**

O o O o O o O o

A a O o o A O

😊 Прочти выделенные слова.

«О-о-о!

Какой вкусный

ужин получится!»

— Смотри, какой
у меня жираф!
«О!»

Уу

у-у-у

☺ Вылепи большую букву из пластилина, а маленькие — сделай из подручных материалов.

☺ Назови красную букву в словах.

УТКА   **У**ХО   **У**ДОЧКА

☻ Прочти строчку букв.

У у У у У у У у

☻ Прочти выделенные слова.

Чашка разбилась:

«У-у-у!»

Дети в лесу потерялись:

«Ау!»

Малыш плачет:

«Уа!»

Ии

И-И-И

☻ Вылепи большую букву из пластилина, а маленькие — сделай из подручных материалов.

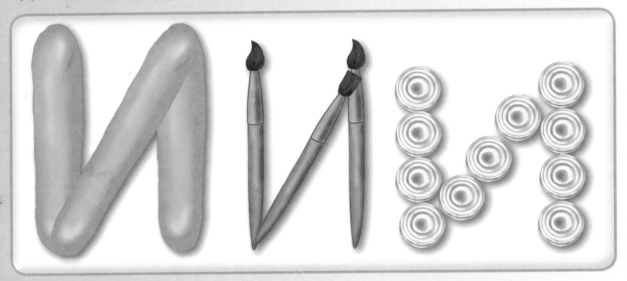

☻ Назови красную букву в словах.

ИГЛЫ   **И**СКРЫ   **И**РА

☺ Прочти строчку букв.

И и И и И и И и

☺ Прочти выделенные слова.

И до чего же хорошо летом!

Кот от радости визжит:

«И-и-и!»

Ослик кричит:

«Иа!»

Ы

Ы-Ы-Ы

☺ Вылепи одну букву из пластилина, а другую сделай из подручных материалов.

☺ Назови красную букву в словах.

РЫБА   ДЫМ   СЫР

Ы Ы Ы Ы Ы

А о И ы У ы

☺ Прочти выделенные слова.

Догадайся, что снится коту:

...Ы...Ы

Бегемотик не хочет купаться: «Вода холодная:

«Ы-Ы-Ы!»

Ээ

Э-э-э

☺ Вылепи большую букву из пластилина, а маленькие — сделай из подручных материалов.

☺ Назови красную букву в словах.

ЭЛЬФ   ЭМУ   ЭДИК

Э э Э э Э э

У Э И А О

☺ Прочти выделенные слова.

«Э-э-э!
Какое у тебя горло
красное!»

Кот собаку дразнит:
«Э-э-э!»

Мм

М-М-М   М-М-М

😊 Вылепи большую букву из пластилина, а маленькую — сделай из подручных материалов.

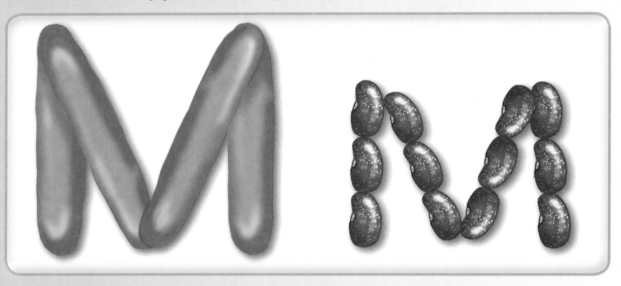

😊 Назови синюю букву в словах.

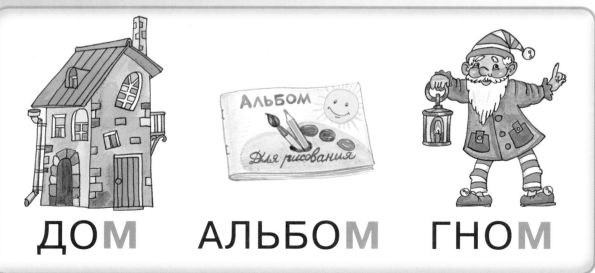

ДОМ   **АЛЬБОМ**   **ГНОМ**

А О У И Ы Э — М М М М М М

☺ Прочти слова:

АМ

УМ

М	А
М	О
М	У
М	И
М	Ы
М	Э

😊 А теперь прочти так:

| МА | МУ | МЫ |
| МО | МИ | МЭ |

МАМА

МЫ

МУ

МУ-МУ

У МАМЫ — МЫ!

П-Ф-Ф

Пп

☺ Вылепи большую букву из пластилина, а маленькие — сделай из подручных материалов.

☺ Прочти слоги:

ПА   ПУ   ПЫ

ПО   ПИ   ПЭ

ПУМА

ПАПА

ПИМЫ

О-ПА!

Пи-пи-пи

Бб

БУМ! БУМ!

☺ Вылепи большую букву из пластилина, а маленькие — сделай из подручных материалов.

☺ Прочти:

БА	БУ	БЫ
БО	БИ	БЭ

БАБА БОБЫ

У БАБЫ БОБЫ.

Н н

Вылепи большую букву из пластилина, а маленькие — сделай из подручных материалов.

Прочти:

НА	НУ	НЫ
НО	НИ	НЭ

НУ-НУ-НУ!

ПОНИ

БАНАНЫ

ПИАНИНО

У Нины бананы.
— На, мама, банан!

Тт

ТУК-ТУК-ТУК

☻ Вылепи большую букву из пластилина, а маленькие — сделай из подручных материалов.

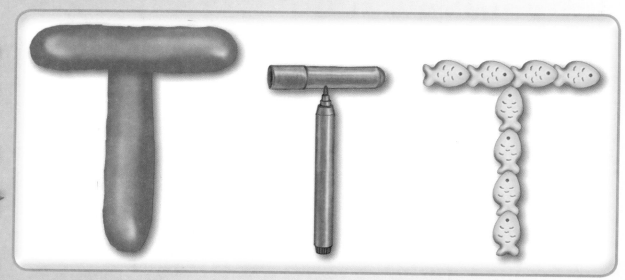

☻ Прочти:

ТА   ТУ   ТЫ

ТО   ТИ   ТЭ

НОТЫ

БОТЫ

БАТОНЫ

БУТОНЫ

Это Ната.
У Наты пионы.

Вв

В-В-В

☺ Вылепи большую букву из пластилина, а маленькие — сделай из подручных материалов.

☺ Прочти:

ВА	ВУ	ВЫ
ВО	ВИ	ВЭ

44

ИВА ВОВА ТИМА

Вот ива. У ивы Вова.

И Тима у ивы. У ивы битва.

Это Вита. У Виты бинт и вата.

Дд

Д-Д-Д

👁 Вылепи большую букву из пластилина, а маленькие — сделай из подручных материалов.

🙂 Прочти:

ДА	ДУ	ДЫ
ДО	ДИ	ДЭ

А Б В Г Д Е Ё Ж З И Й К Л М Н О

ДОМА́ ВОДА ДА́МА

Вот дом.
Там дым.

Это дом.
Там мама,
папа и баба.
А Дима?
Дима у дома.

Яя

Вылепи большую букву из пластилина, а маленькие — сделай из подручных материалов.

Прочти:

МЯ ПЯ ДЯ

НЯ ТЯ ВЯ

ЯМА МЯТА ДЫНЯ

У Яны дыня.
— Иди, Надя!
На, вот дыня!

Это яма.
Там Вова.
А я — Ваня,
я тяну Вову.

Сс

С-С-С

😊 Вылепи большую букву из пластилина, а маленькие — сделай из подручных материалов.

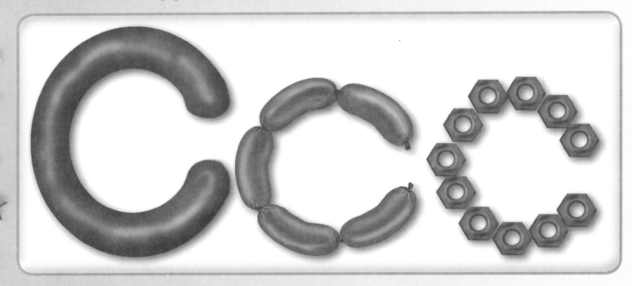

😊 Прочти:

СА СУ СЫ

СО СИ СЭ

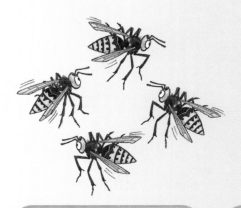

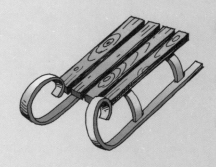

ÓСЫ БУСЫ САНИ

Это Бася.
У Баси мясо.
Бася сыта.

У осы усы.
И у сома усы.

Ее

☺ Вылепи большую букву из пластилина, а маленькие — сделай из подручных материалов.

☺ Прочти:

МЕ	БЕ	ТЕ
ПЕ	НЕ	ВЕ

ДЕТИ   ПЕНА   НЕБО

Сеня сидит в ванне.
В ванне пена.
И на носу у Сени пена.

Кк

КО-КО-КО

☺ Вылепи большую букву из пластилина, а маленькие — сделай из подручных материалов.

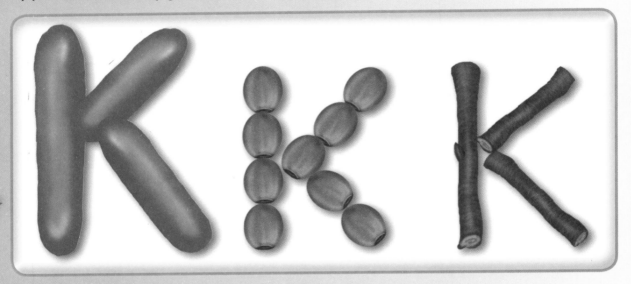

☺ Прочти:

КА	КУ	КЫ
КО	КИ	КЕ

КОТ

КИТ

БЫК

Тут кот Тимка. Кот сыт.
Кот спит. Коту снится кит.
Кто сыт? Кто спит?
Кому снится кит?

Фф

Ф-Ф-Ф

☺ Вылепи большую букву из пластилина, а маленькую — сделай из подручных материалов.

☺ Прочти:

ФА	ФУ	ФЫ
ФО	ФИ	ФЕ

ФЕН ФОТО КОФТА

Это фото. На фото фонтан. В фонтане вода. У фонтана папа, мама, Фаина и Федя.

Гг

ГА-ГА-ГА

☺ Вылепи большую букву из пластилина, а маленькие — сделай из подручных материалов.

☺ Прочти:

ГА	ГУ	ГЫ
ГО	ГИ	ГЕ

ГУСИ

БЕГЕМОТ

Мама готовит обед.
И Соня тут как тут:
— Мама! Я тебе помогу!

😊 Вылепи большую букву из пластилина, а маленькие — сделай из подручных материалов.

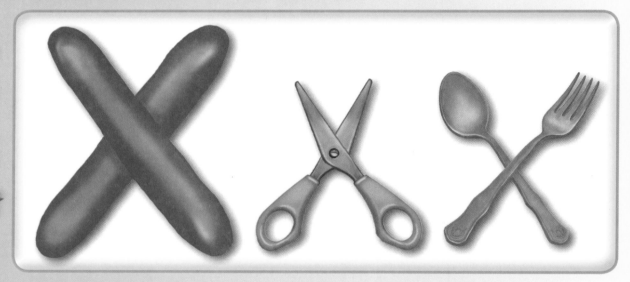

😊 Прочти:

ХА	ХУ	ХЫ
ХО	ХИ	ХЕ

ПЕТУХИ

МУХА

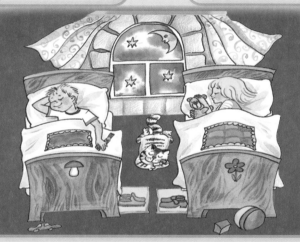

Тихо. Темно.
Все спят давно.
Дети видят сны.
На стене ходики.
Ходики не спят.
Ходики идут.
Тик-так, тик-так.

Зз

3-3-3

☺ Вылепи большую букву из пластилина, а маленькие — сделай из подручных материалов.

☺ Прочти:

| ЗА | ЗУ | ЗЫ |
| ЗО | ЗИ | ЗЕ |

ВАЗА

КОЗА

МИМОЗА

У козы ноты.
Коза называет ноты.
Эта нота «ме».
— Ме-ме-ме!
Вот такая у козы песенка.

Шш

Ш-Ш-Ш

Вылепи большую букву из пластилина, а маленькие — сделай из подручных материалов.

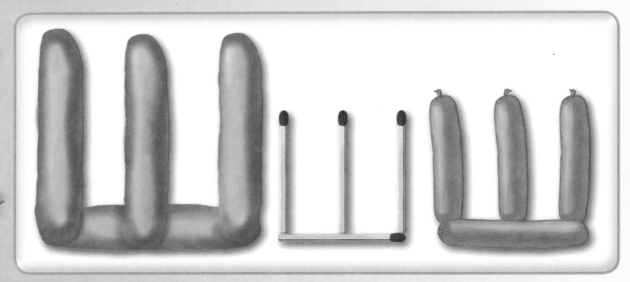

Прочти:

ША ШУ ШЕ

ШО ШИ

КАША

МЫШИ

Кот Тишка спит на подушке.
—Тише, мышки! Не шумите!
Тут кот Тишка.
Кот спит, но у кота
ушки на макушке.

Жж

Ж-Ж-Ж

☺ Вылепи большую букву из пластилина, а маленькую — сделай из подручных материалов.

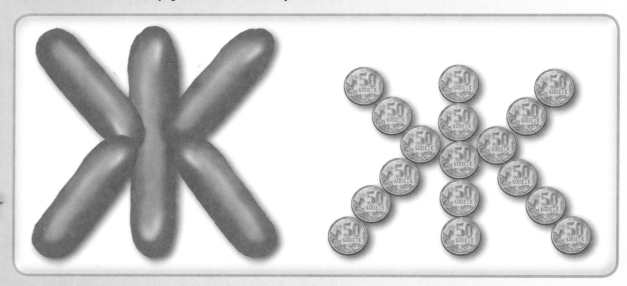

☺ Прочти:

ЖА   ЖУ   ЖЕ

ЖО   ЖИ

УЖИ

ЕЖИ

У ужа — ужата,
у ежа — ежата

Всегда Мише поможет.
Завязки у шапки завяжет.
Жакет на зиму свяжет.
О ком Миша так скажет?

Лл

ЛЯ-ЛЯ-ЛЯ

☺ Вылепи большую букву из пластилина, а маленькие — сделай из подручных материалов.

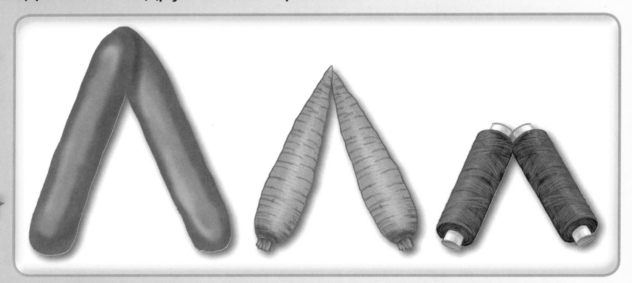

☺ Прочти:

ЛА	ЛУ	ЛЫ
ЛО	ЛИ	ЛЕ

ЛАМА

ЛИСА

Володя и Слава — футболисты.
Солнышко уже садится,
а они не хотят идти по домам.
Без устали в футбол гоняли.
Голы забивали. Володя два гола
забил, а Слава — один.

Рр

Р-Р-Р

☺ Вылепи большую букву из пластилина, а маленькие — сделай из подручных материалов.

☺ Прочти:

РА	РУ	РЫ
РО	РИ	РЕ

ВОРОНА

РЫБА

Прочти скороговорки:

На горе Арарат растёт виноград.

Три вороны на воротах, три сороки на пороге.

Три дерева, три тетерева, на каждом дереве по тетереву.

Ёё

☺ Вылепи большую букву из пластилина, а маленькие — сделай из подручных материалов.

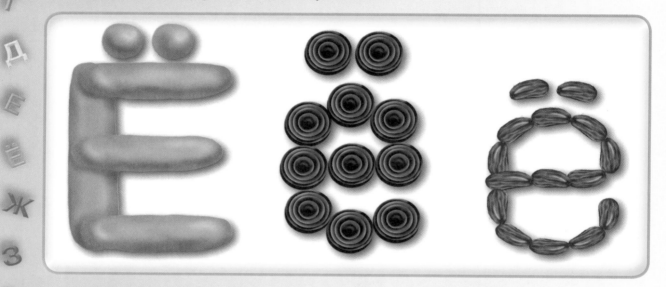

☺ Прочти:

ЛЁ   ФЁ   ДЁ

МЁ   ТЁ   РЁ

U кошки — котёнок

U коровы — телёнок.

U козы — козлёнок

U лошади — жеребёнок

👶 Отгадай загадку:

Сама пёстрая, ест зелёное, даёт белое.

(корова)

Йй

Ай!

☺ Вылепи большую букву из пластилина, а маленькие — сделай из подручных материалов.

☺ Прочти:

АЙ	УЙ	ЕЙ
ОЙ	ИЙ	ЯЙ

74

ЙОГ

ЙОГУРТ

Майя поливает Николая
холодной водой.
Николай мокрый
с головы до ног.
Николай смеётся.
Холодный душ в жару
приятен и полезен.

Чч

Ч-Ч-Ч

😊 Вылепи большую букву из пластилина, а маленькие — сделай из подручных материалов.

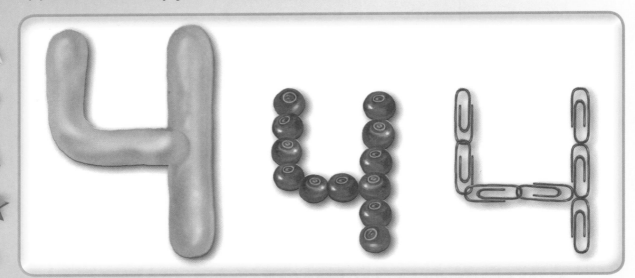

😊 Прочти:

ЧА	ЧУ	ЧЕ
ЧО	ЧИ	ЧЁ

ЧЕРЕПАХА ЧАШКА

БАБОЧКИ

Сидит черепаха скучает,
Не хочет ни кофе, ни чая.
Мечтает о джеме черничном
И мармеладе клубничном.

Щщ

Щ-Щ-Щ

☺ Вылепи большую букву из пластилина, а маленькую — сделай из подручных материалов.

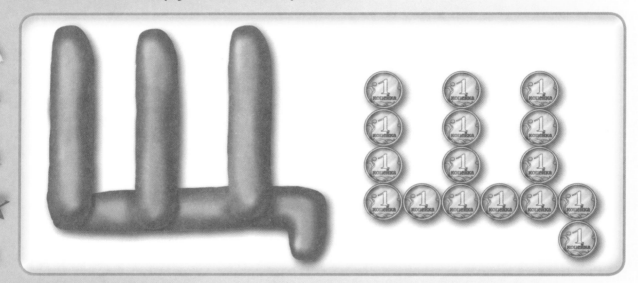

☺ Прочти:

ЩА ЩУ ЩЕ

ЩО ЩИ ЩЁ

ЩЕНОК

ЩЁЛКА

Щёки красные
У Саши,
Щей он много ел
И каши.

Тощий Тимка всех тощее,
Тощее тощего Кощея!
Он не ест у нас
Ни щей, ни борщей,
Ни овощей —
Вот и тощий, как Кощей!

Цц

ЦЫЦ!

😊 Вылепи большую букву из пластилина, а маленькие — сделай из подручных материалов.

😊 Прочти:

ЦА ЦУ ЦЕ

ЦО ЦИ

ЦАПЛЯ

КУРИЦА

У бабушки в деревне домашние птицы: гуси, утки и курицы. Курица снесла яйцо. Скоро появится у курицы цыплёнок. Алёна цыплёнку имя придумала.
— Назовём его цыплёнок Цып.

Цып-цып-цып!

Юю

☺ Вылепи большую букву из пластилина, а маленькую — сделай из подручных материалов.

☺ Прочти:

МЮ	СЮ	ДЮ
ПЮ	ЗЮ	ТЮ

ЮНГА **ЮЛА** **КЛЮЧ**

Юра и дедушка
всюду вместе.
Вместе гуляют.
Вместе читают.
Вместе играют.
Юра дедушку
лучшим другом называет.
А дедушка Юру обожает,
души в нём не чает.

Ь

☺ Вылепи одну букву из пластилина, а другие сделай из подручных материалов.

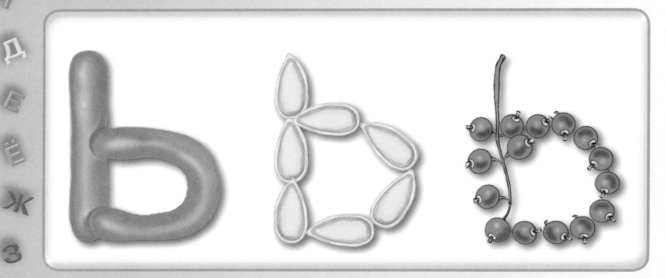

☺ Прочти:

ОЛЬ ОНЬ ОБЬ

ОСЬ ОПЬ ОЧЬ

МЫШЬ

ФОНАРЬ

КОНЬКИ

В лесу живёт олень.
На голове у оленя рога,
как корона.
Поэтому его называют
король-олень.
Олень пьёт воду из ручья.
Попьёт — и снова в путь.

Ъ

☺ Вылепи одну букву из пластилина, а другие сделай из подручных материалов.

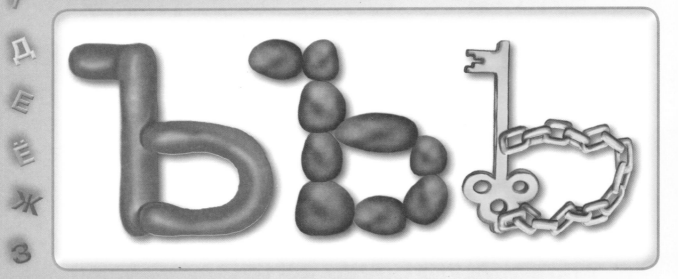

☺ Прочти:

СЪЕЛ

СЪЕХАЛ

ОБЪЕЗД

ОБЪЕХАЛ

ПОДЪЁМ

ПОДЪЕЗД

ОБЪЯВЛЕНИЕ

На горку въехали,
с горки съехали,
в сугроб заехали.

Непослушный мышонок

В доме мышки: папа — мышка,
мама — мышка и их сынишка.
— Вот тебе, сынишка, сушка.
— Не буду сушку!
Буду шишку.
Ну и сынишка!
Не едят мышки шишки.

Чудовищная история

Пришли звери в гости к бурундуку.
Вдруг бежит к ним дрожащая мышка,
глаза от страха вытаращила.
— Видала я у норы чудовище.
У чудовища чёрные глазищи,
блестящие усищи,
длинный хвостище,
крепкие лапищи с острыми когтищами.
— Не пищи, не бойся, мышка.
Это лисёнок рыщет, пищу ищет.
Мы его на чай пригласим.
Пирогом со щавелем угостим.

Самый-самый

Сидит на пне лисёнок.

Вокруг него зайка, белка и мишка.

— Я, — говорит лисёнок, — в лесу самый хитрый. Всех обману.

— Зато я, — говорит мишка, — самый ловкий. Всех на лопатки положу.

— А я, — говорит зайка, — самый быстрый. Всех быстрей до полянки добегу.

— Разве это,— говорит белка, — самое главное?

Самый-самый — это тот, кто самый добрый. Всем помогает, никого не обижает.

Зачем слонёнку хобот?

Однажды мышонок спросил у слонёнка:
— Зачем тебе, слонёнок, такой длинный нос?
— Чудак ты, мышонок. Всем известно, что мой нос называется хобот.
Хоботом я дышу. Когда мне жарко, хоботом я набираю из реки воду и обливаю себя.
Хоботом я поднимаю тяжёлые брёвна.
А когда я шалю, мама грозит, что отшлёпает меня хоботом.
Но не шлёпает, мама меня любит.
И я её тоже люблю.

Шланг пожарный вместо носа,
Он огромный, словно дом.
«Это кто?» — ребята спросят,
И ответят сами — ...

(Слон)

Кто такие «почемучки»?

Кто такие «почемучки»?
Это те, кому всё на свете интересно.
Почему черепаха на спине домик носит?
Зачем компасу стрелки?
И куда нужно пойти, чтобы на другой край
Земли прийти?
«Почемучкам» никогда не скучно.
Потому что им на все вопросы хочется
найти ответы.

Помни и ты: знание – великая сила!

КАФЕ	КИТ	КОСЫ
МАГАЗИН	ЖУК	РУКИ
ЗООПАРК	БЫК	НОГИ
ВОКЗАЛ	СОМ	СИДИТ
ТЕАТР	РАК	СТОИТ
ПАРК	МЯЧ	ИДЁТ
ЗАВОД	ШАР	БЕЖИТ
СТАДИОН	ЛУК	ЕДЕТ
РЫНОК	МАМА	ЛЕТИТ
ШКОЛА	ПАПА	СПИТ
БАССЕЙН	ДЕТИ	ИГРАЕТ
МУЗЕЙ	РЫБА	ЧИТАЕТ
ДЕТСКИЙ САД	КОЗА	ЕСТ
СУП	ЛИСА	ПЬЁТ
СОК	ЗИМА	СТРОИТ
МЁД	ШУБА	ПОЛИКЛИНИКА
КОТ	ЛЫЖИ	БИБЛИОТЕКА

Разрезные карточки

Для дошкольного возраста (взрослые читают детям)

0+

Олеся Станиславовна Жукова

АЗБУКА

С КРУПНЫМИ БУКВАМИ

ДЛЯ МАЛЫШЕЙ

Ответственный редактор *М. Тумановская*
Художественное оформление *О. Наумовой*
Технический редактор *В. Беляева*
Верстка *О. Наумовой*
Корректор *В. Леснова*

Подписано в печать 30.10.2013. Формат 84x108 $^{1}/_{16}$.
Печать офсетная. Бумага офсетная.
Усл. печ. л. Доп. тираж 7000 экз. Заказ № 3713.

Общероссийский классификатор продукции
ОК-005-93, том 2; 953000 – книги, брошюры

ООО «Издательство АСТ»
129085, г. Москва, Звездный бульвар,
дом 21, строение 3, комната 5

Отпечатано в филиале «Тверской полиграфический комбинат
детской литературы» ОАО «Издательство «Высшая школа»
170040, г. Тверь, проспект 50 лет Октября, д. 46
Тел.: +7 (4822) 44-85-98. Факс: +7 (4822) 44-61-51